DES
-40
-50%
SOLDES
Collection
Automne
Hiver
88
-30
-40
-50%
HUGO BOSS

POTAIN
G9

PHARMACIE

Numéro
35
KYLIE MINOGUE
TOM WAITS
PATTI SMITH
MARC JACOBS
KIM GORDON
ALEXANDER MCQUEEN
BOBBY GILLESPIE
LESTER BANGS
JEAN COLONNA
BIGGIE & TUPAC
THE OSBOURNES
THE STROKES
Rock' n' roll
CD CHANEL OFFERT

BON VOYAGE

JEAN
JEAN
COCTEAU
COCTEAU

JEAN
JEAN
COCTEAU
Centre
Pompidou
COCTEAU
Cartier

75

5e Arrt
le PASSÉ SIMPLE
FLEURS
50, RUE DAUBENTON

KOS SZABO
NOUVEAU THEATRE
MOUFFETARD
LE PRINC
DE
HOMBOUR

10
ANS
GOSPEL

PAS
TERRASSEMENT
DEMOLITION
COLOMBO

AXIS

YONNAIS
LIBRE SERVICE BANCAIRE
C L
CUIRS
ET
83
PEAUX
OAKWOOD
Le cuir

Une bouche réclamant une pizza
Vivagel, cela s'entend.
Vivagel

LA LIBRAIRIE

PINGOUIN

DUO
ROIS

NE MEN'S

BARRACUDA
VETEMENTS
MASCULINS
Lois
JEANS & JACKETS
BARRACUDA
TARA
WELL'S
AGENCE
DE
VOYAGE

APPA
Demarquay Girod
Fabricant
ORFEVRERIE
VENTE
SAMEDI
AU FOND
du PASSAGE

ANDRÉ
DELVAL

ANNEE M·DCCC·XL

DAME
AFE

Publique
Tournelle
LOTO
DAME

L'EXPRESS
BLANC

ROMEO
ROMEO

ADAC I
ADAC I

1
CALIBRE

les Panetons
les Panetons
es pâtes fraîches
Endives Françaises
DOHA

MATIGNON

LOUNA
POISSONNERIE

OUCHERIE
SOLDES
VETEMENTS DEGRIFFES
POUR ENFANTS
DE 0 A 16 ANS
CADEAUX
GADGETS
GASSION

MOTOR
HARLEY-DAVIDSON
CYCLES

LA BELLE ET LA BETE
LES ENFANTS DU PARADIS
PRIVE
entrée

TOBLERONE

TIREZ
TIREZ

PORTE
TIREZ

BOUCHERIE - CHARCUTERIE
BENSIMON כשר
BOUCHERIE כשר
CHARCUTERIE
917 HAM 75

ROSIERS ALIMENTATION

ADAROUX
8541 LK

Café

C&A
C&A
MANIPULATEURS RADIO
LABORANTINS
RADIO EEG
A LOUER

LISSAC
LABOS.EN GRÈVE
LIVETTE
DEBORDE
LABORAN
ANTIBES
C.H.U
PIGIER

66
MBK

BALLY SOLDES
free time
restaurant
METRO
JOFFO

AGENCE
OCCIDENTALE
DE VOYAGES

UTETIA

LE COBRA
BRASSERIE
BAR
BRASSERIE
COBRA

HOTEL

P

ACADEMIE

TABAC
BAR
BRASSERIE
PHOTO

96

55F.
il n'y a
d'heure
pour
faim.
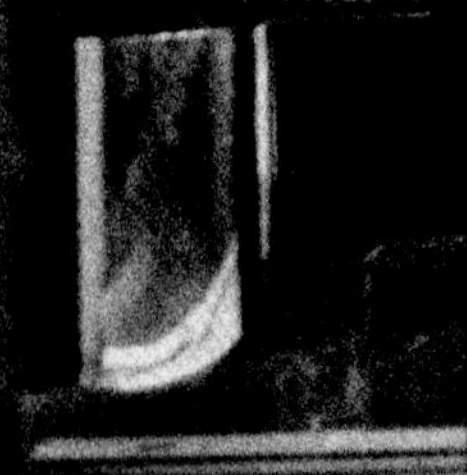

Chèque
déjeuner
TR

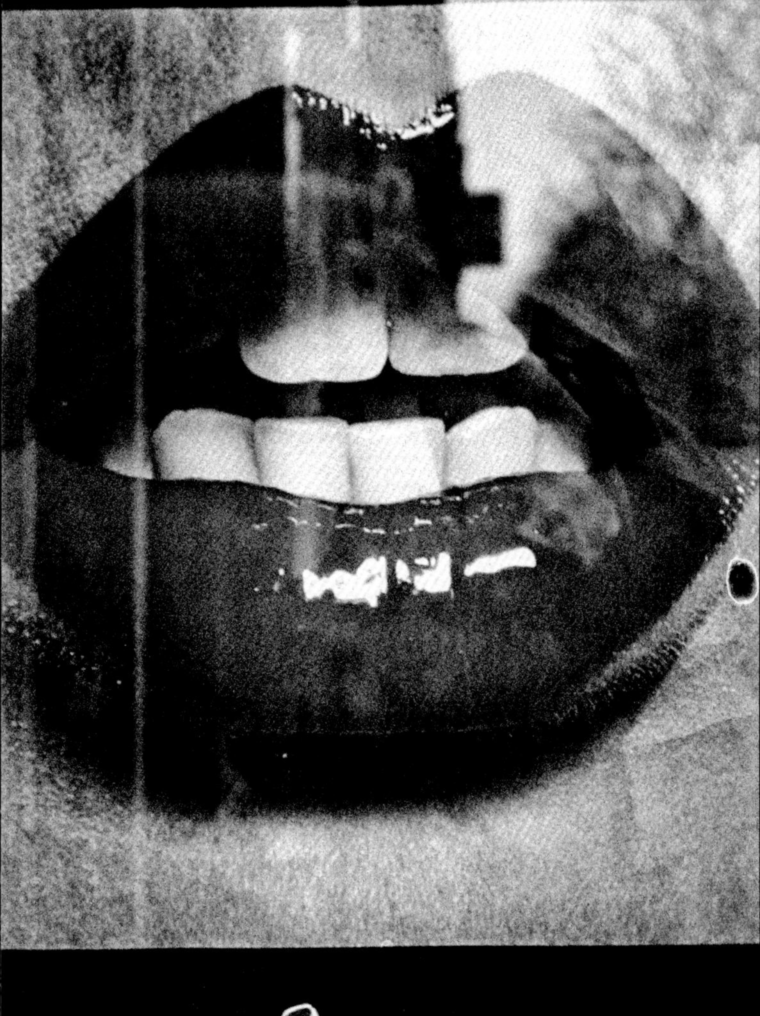

Les

CASSETT

A
Quality X
PRESENTATION
JOIN
AMBER LYNN
IN THE
HOTTEST SEX
CLUB IN
TOWN!
COLEEN BRENNAN
Pet of the Year!
Also featuring
JOHN LESLIE
KATHRYN MOORE
JERRY BUTLER
SHARON CAIN
GEORGE PAYNE
XXX
INITIATION
of cynthia
Distributed by:
©MCMLXXXV Evart Enterprises Inc. All Rights Reserved Running Time: 90 min.

ES VIDEO
THE GIRLS OF
CELL BLOCK
F
YOU CAN LOCK THEM UP, BUT YOU CAN'T KEEP THEM DOWN!
TANYA • EVA ADAMS •
TIFFANY BLAKE • CHERI GARDNER
JACQULINE BROOKS • TOM BYRON
PETER NORTH • MARC WALLICE
KEVIN JAMES • TONY MARTINO
ADULT NON-VIOLENT
A WESTERN VISUALS

GLACIER

LE PO
PARENTS D
REVEILLEZ

JULIEN

Paris

アフリカ
昭文社

SHOWER

haute coiffure
creation
PIZZA SILVIA
RESTAURANT
AUTO-ECOLE

FISCHER
RESTAURANT
PECHE
OPTIQUE
JALRAN
JALRAN
RESTAURANT
VOYAGES WASTEELS

SPECTACLE
SERVICE CONTINU
(OPEN NO STOP
de 11h 30 à 1h du matin
RISTORANTE PIZZ
BRUNO
COMMANDEZ AU CHOI
GLACES
GELATI
ICE CREAMS
CUISINE
SPECIALITES
ITALIENNES
PIZZA

RENDEZ VOUS
OXE
EMEBE
SHAW
SKOUMA
SNOW
SEILLIER
RABBI
ECLERCQ

SALON de THE
Renard

Nemo

ATHENES

QUAI

HOTEL DU NOR

YAMAHA
XT
4-VALVES
600

YAMAHA
YAMAHA
PEUGEOT.

RESTAURANT
PIZZA
VESUVIO
Mc

MG
GYROS
MINOTAURE
RESTAURANT
SANDWICH
GREC
EXTRA
RESTAURANT GREC

SOUVLAKI
RESTAURANT
GREC
RESTAURANT
COUSCOUS
THEATRE
SOIREES
DANSANTES
UNIVERSITE
PARIS

MANARA

BER

A PLUS RECEN
RTE AURICULAIRE
ANTITRAGUS

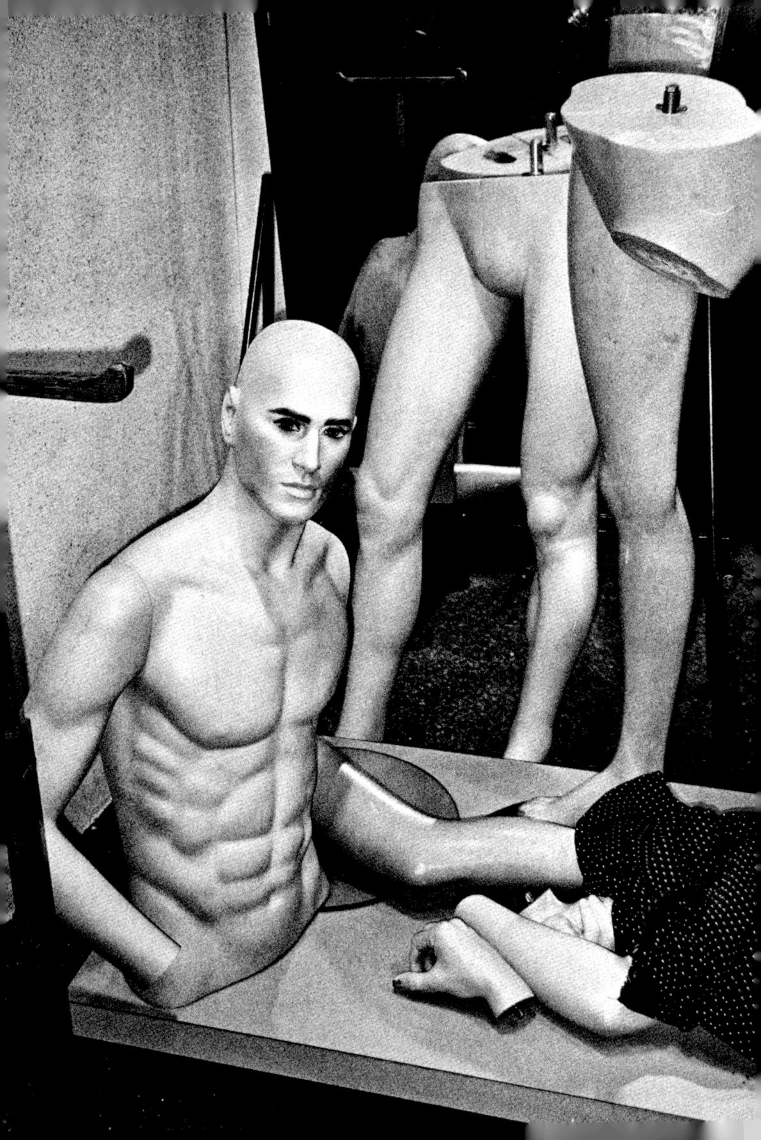

Le Roi Bouffon
AURANT
DE THE
AMPELBERG

PIERRE
HOTEL
RESTAURANT PIERRE PALAIS ROYAL
INTERFLORA

DELYPOLE PRODUCTION
PIPIYU
15
SAMEDI
NOV.
2003
LSC
5ème GENERATION DE LA MUSIQUE CONGOLAISE
E MONTEIRO
Live
JESUS-CHRIST EST SEIGNEUR
Grande Journée de Louange & Adoration à l'Eternel
Micheline
SHABANI
à Paris
VENDREDI
14
NOV.
de 14 H à 23 H
LSG
2 Grandes Nuits de
REVEIL SPIRITUEL
31 OCT.
28 NOV.
CABARET SAUVAGE

Micheline
SHABANI
VENDREDI
14
NOV.
LSG
au fond de moi
DORCAS KAJA
PIPIYU
15
NOV.
2003
LSC

CARO
B&M
MAROQUINERIE
Bis de Paris
BAR
3.5t

79 IMPORT
RUE
BEAUBOURG
femina
chaque dimanche
avec
Le Journal
du Dimanche
femina

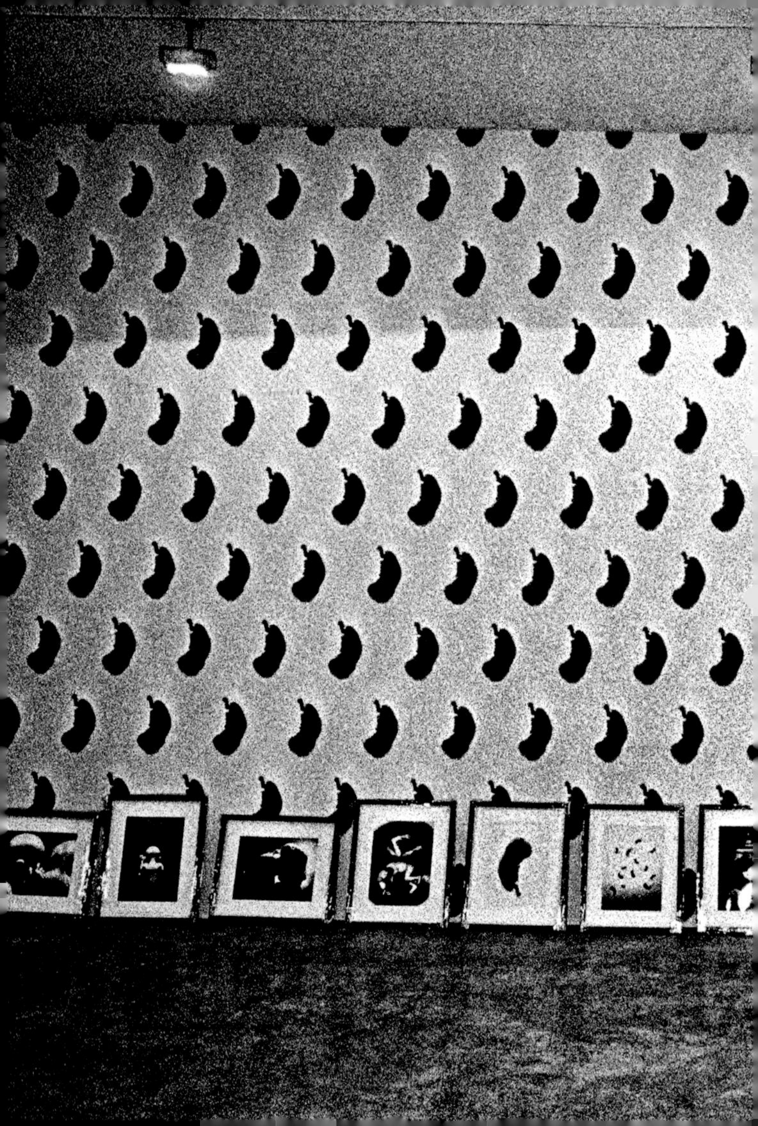

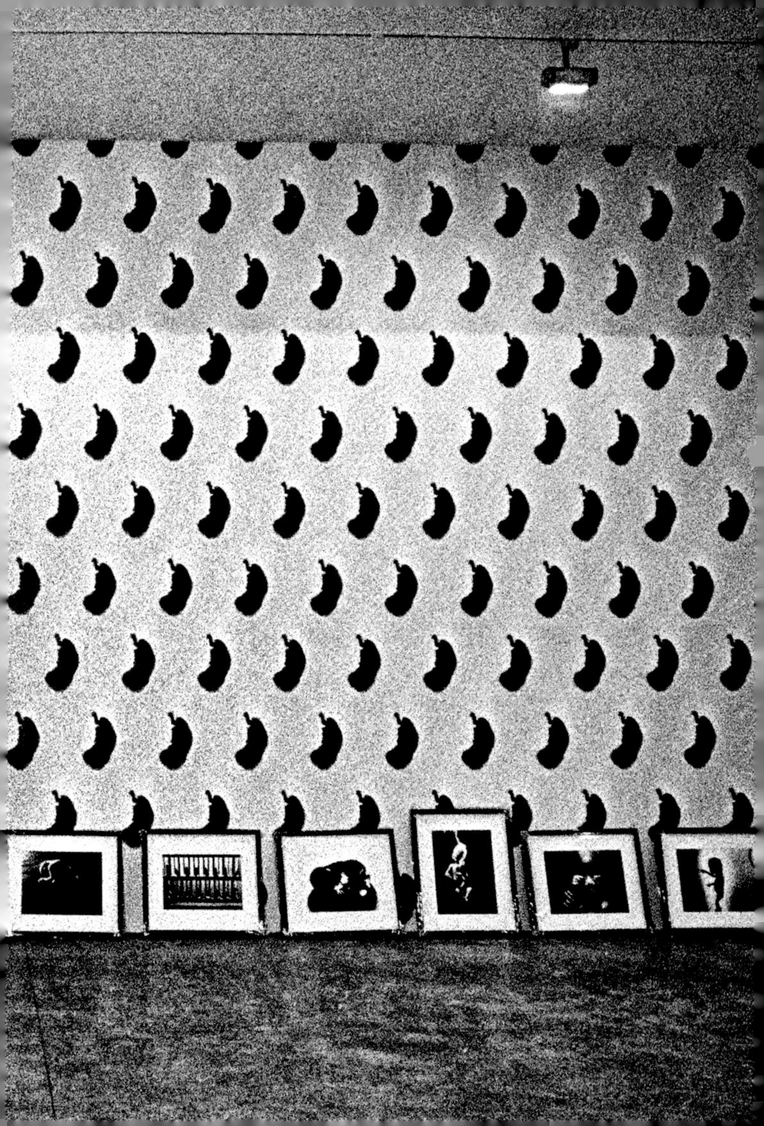

MEGANET PRODUCTIONS PRESENTE
TUNISIE COEUR
SAMEDI 08 NOVEMBRE
ZENITH
de Paris
SAMEDI 08 NOVEMBRE
ZENITH
Paris
Soufia Sadek
INFOLINE
TUNISAIR
BEUR FM
Magasins Fnac
POUR CHRIST
MMES CHRETIENNE
AYIKWA
CHARLOTTE
NOV. 2003
01 NOV. 2003

Médina Meubles
01 40 11 25 28
MEDINA MEUBLES

rcade

RER
B C M 10

LERC
Festival de La
Perle de Cul

AINdeCAFE
ALON DU CAFE

RESTAURANT

ROGER MADEC
ROGER MADEC
ROGER MADEC

CITÉ
je suis u
F
4338RG92

SERNAM

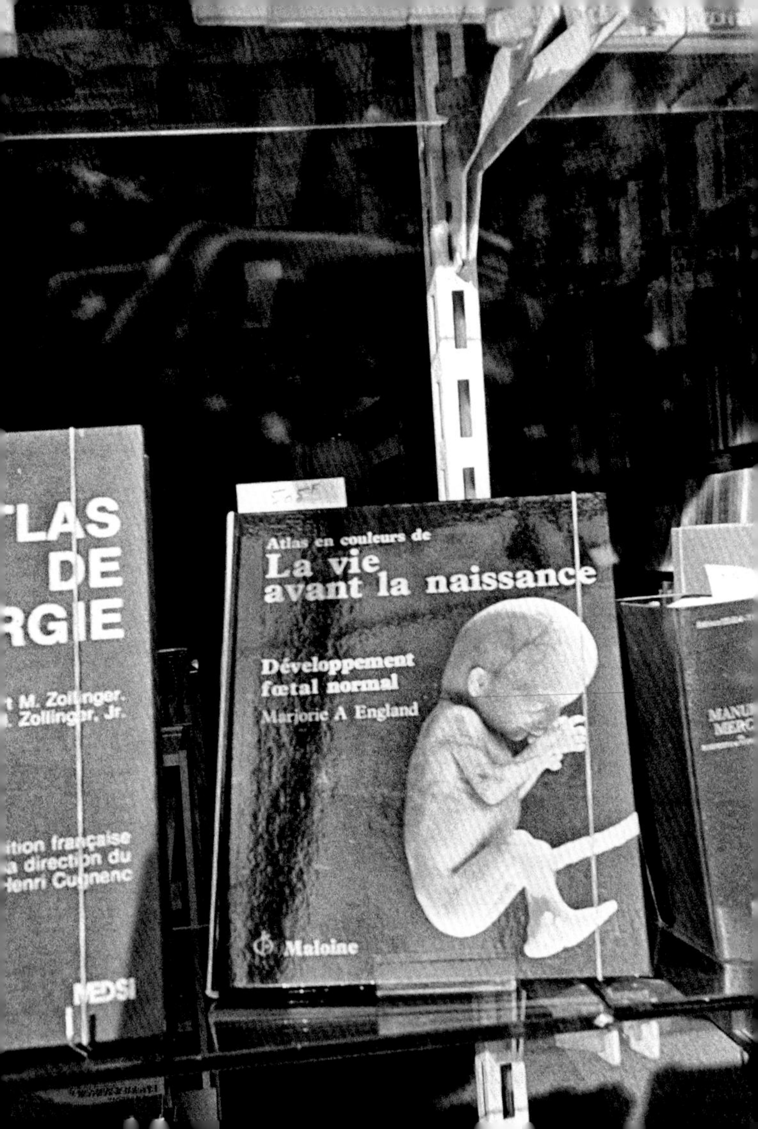

TLAS
DE
RGIE
M. Zollinger.
Zollinger, Jr.
ition française
a direction du
Henri Cugnenc
MEDSI
Atlas en couleurs de
La vie
avant la naissance
Développement
fœtal normal
Marjorie A England
Maloine

BIJOUX
FANTAISIE

SERVICE
- RETOUCHES -
COUTURE
PAVILLON A VENDRE ENTRE PARTICULIERS
A 100M FORET DOMANIALE, AU CALME,
DANS VILLAGE PROCHE COMPIÈGNE (OISE)
PAVILLON F5 95M² + S/SOL 47M² + GARAGE
+ JARDIN CLOS 300M² ISOLATION RENFORCEE
SURVITRAGE TOTAL CHAU GAZ + BALLON E.D.F 150L
TOUT A L'EGOUT. PRIX NET 500.000F
TELEPHONE: 44.76 24 15 (LE SOIR)
LOCATION VACANCES: BORD MEDITER ENTRE AGDE ET
VALRAS LOUE PAVILLON DANS LOT. PRIVE
AVEC TERRASSE-JARDIN + PARKING PRIVE
2 PIECES + MEZZANINE: 6 COUCHAGES
TOUT EQUIPE:
HORS-SAISON 1000F PAR SEMAINE

MARIOS
Léonidas
MANPOWER

MARAIS
OPTIQUE
GRIFF'SOLDE
Fleurs
GLACES

LIVRES NEUFS
LIVRES D'OCCASION
DAB-BIER
LE DEPART

ZZA
PIZZA
Restaurant
CRÊPERIE
Crêpes et Frites
A EMPORTER

CREMERIE
LLONS
J. Barrilliet Fromager

FACCHETTI
PATISSIER

Le

Poulet &

10ème anniversaire
THÉÂTRE DES
CHAMPS-ÉLYSÉES
DÉCEMBRE AU 4 JANVIER
www.theatrechampselysees.fr
LE FIGARO
TPS
VOYAGE

CHOCOLATS
DEBAUVE
& GALLAIS

PTT

TABAC

EAUX
TABAC
TABAC
Sortie

Taxis
Bus urbain
Sortie
Location
de voitures

MOULIN

22
JEUX
Tel. 274-06-31

SORTIE

108 BVF 95

BAR RESTAURANT
Le Hoggar
47, Rue Kleber S'OUEN Tél. 252.01.34
Cuisine Bourgeoise
MIDI et SOIR
JE SUIS ICI

Nord-parking
BMW
BOULANGERIE
PATISSERIE
Patissier
LADA
58 HBB 75

HOTEL
C 250
CITROEN
3357 MC 94

nouvelles frontières
MINITEL 36.16
CODE..NF.
OUVERT
DE 10H00
A 20H00

S SALLES
CANNES
Un Monde a Part
VO

A BOUT DE COURSE
V.O.

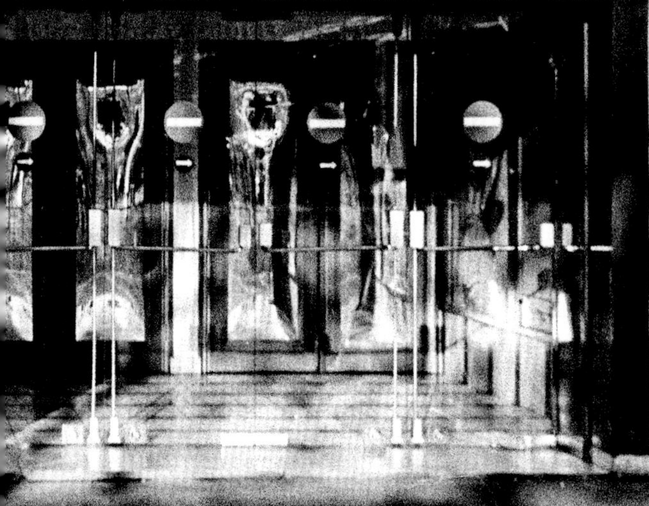
VIVALDI
GLORIA

AVENIR
PARIS 250 L
36.15
LAURA

dauphin

DALI

SYNTHETIC
BIJOUX
BIJOUX
Le Restaurant
NANA
PALISSY
45481750
COMEDIE CAUMARTIN
GERARD SETY
GERARD SETY
COMEDIE CAUMARTIN
COMEDIE CAUMARTIN
GERARD
GERARD

RESTAURANT

F
5895 JZ 94

PORT

2e FOIRE BROCANTE
DU PONT LOUIS-PHILIPPE
QUAI DE L'HÔTEL DE VILLE
SAMEDI 8 JUILLET
MANCHE 9 JUILLET
Princesse

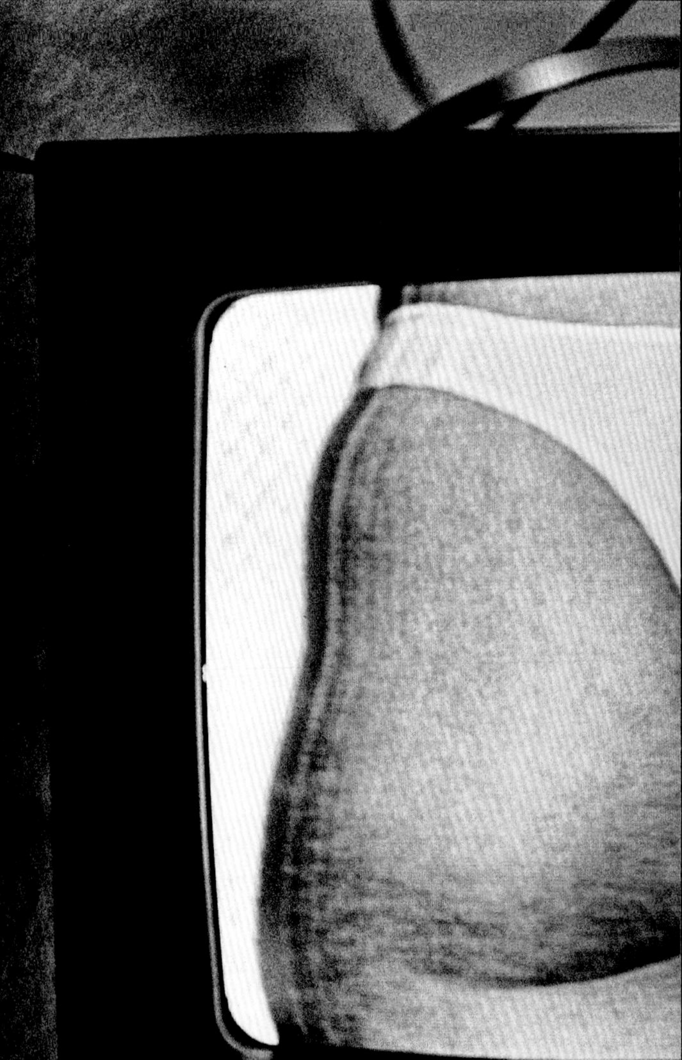

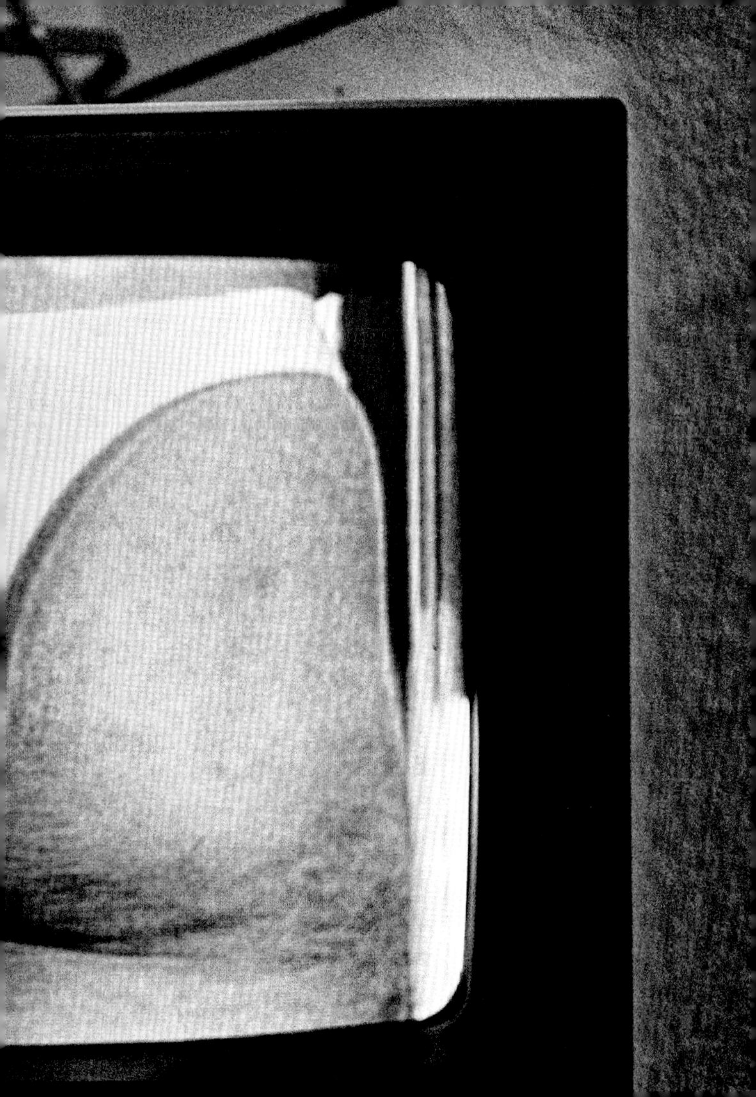

motei
après
doux

Aqua

ONNAISSANTE

I-FLIRT
FLIRT
PARIS
PARIS

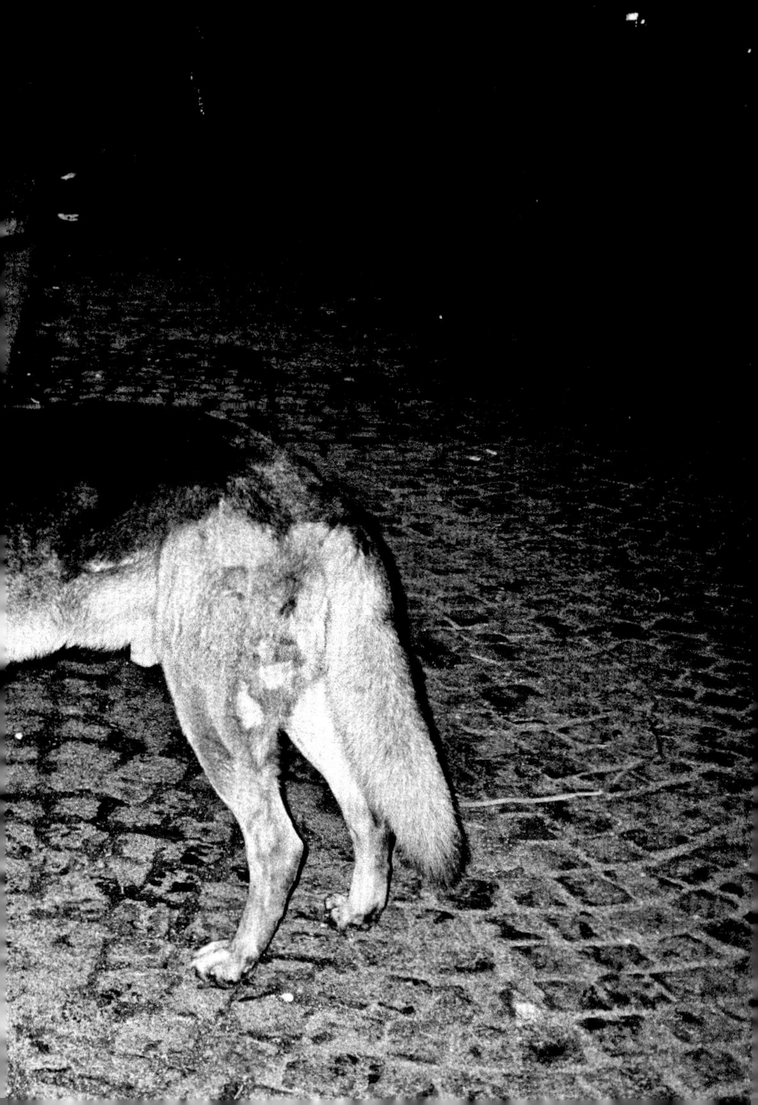

01.17
7393 FT 94

RUE
DU
ROI DE SICILE

BOULANGERIE
PAINS

PR
tri
DEBARRAS
JULIA
MIGENES
17-18-19
FEVRIER
DE CARMEN BROADWAY
OLYIPIA
gsi
TOBLERONE

KRYSAR
JOUEUR DE FLÛTE
un
dessin animé

BUFFETS
STATIONNEMENT GÊNANT
BUFFET
CHAUD
ET FROID
CHEB KADER
en concert
RADIO-BEUR
élysée
MONTMARTRE
SAMEDI 26 NOV. à 20h.

PRINCE NEZHA
du Roi Dragon
Pierre
UN MAIRE A PLEIN TEMPS
Pierre
UN MAIRE A PLEIN TEMPS

RUE

AMERICAN PIE
MARIONS - LES!
L'apothéose de la saga
AMERICAN PIE.
VERSION ORIGINALE / sous titres français
LE DIVORCE
AMERICAN PIE VO
AVEC BILLETS
GOOD BYE VO
AVEC BILLETS
AVEC BILLETS
20h15 22h10

AMSTEL
LE DANTON

CABINET JOUVE

E · C O S T E

SEL
10
top
2000
KING
SEL
top200
Kronenbourg
CAFE RIVE DROITE
Piano

Le Corona
Hot dog
Omelet
Assiette anglaise
chèque déjeuner
CHÈQUE RESTAURANT
TÉLÉCARTE
EN VENTE ICI
ICI PAIEMENT PAR CARTE
248 FFZ 75

PRODUITS
Kodak
VENTE ICI

P MONTPARNASSE - RASPAIL
Le Savour Club

Les aventures
du BARON
MUNCHAUSE
hez
EXANDRE
La Chandelle

PAS CHER
Téléboutique
AR
TINE
VINS

MAROQUINERIE

METRO

HIPPOPOTAMUS
GRILL
ACTUELLEMENT

HOTEL

SNACK
CHINOIS
HOTEL
44
BAR
HOTEL
BUREAU
AU

epas a toutes heures
SANDWICHS
DRINKS
AIS DE L'ILE DE FRANCE
33 Record

LE CAFE
DE LA GAR
FARID CHOPEL
AU CAFÉ DE LA GARE
"LA BELLE CARLO"
LOCATION: 42.78.52.51
1686
HG 43

HONORE
HONORE
PARIS

PIZZA
GRILL

PORTER
COCHONAILLES
ET FROMAGES

BACHES
QUALITE
LATIM
MATERIEL

Bercy
FRANÇOIS

TOUS MÉTAUX
PRÉCIEUX
Transactions
BOURSE
PIÈCES OR
LINGOTS

210 DFB 95

PIZZA
ET
PLATS
1259 LS 93

BAR

SORTIE
VOITURE
5
GAZ

CAFÉ
PLAT DU JOUR
Record
RESTAURANT MADAME DE... CAFE
GAULOISES
125R

POLICE

DEMENAGEMENTS
BAGNEUX
Tel. 4.655.12.57
SAINT-ASTIER
Tel. 53.54.14.45
ROYAL OPERA

IMPÔTS ?
CETTE ANNÉE
FAITES
LA BONNE
DÉDUCTION
VOTRE CONSEILLER
ICI
IMPÔTS ?
CETTE ANNÉE
FAITES
LA BONNE
DÉDUCTION
VOTRE CONSEILLER
ICI
YAMAHA
YAMAHA

16
RECEPTION

ALAIN AFFLELOU

Art Décoration
NOUS DEUX
ROMAN
Où
trouver
les filles
d'un soir?
MUSIQUE
MAN
MONTE
CARLO
GTI
DAKAR
PEUGEOT

METRO

6808 WT 93

Gare S.N.C.F
Ecole National de Musique
GORDON
1re à Gauche
à 3 Minutes

RUE
MARBEUF

P
POLICE
4040

ÉDITIONS DU

50
140 €

ANNIVERSAIRE
50ème
ANNIVERSAIRE
GALERIES
TOMY
50
ANNIVERSAIRE
WEILL

299 f
Jusqu'au 54

À partir de
299

BHUTTO
BEAUTY'S
BEDROOM
SUMMER
ROUSSES
MADONNA!

FINANCIAL TIMES
UNION
PLAYGIRL
WHERE TO FIND FUN AND SEX
SURPRISINGLY SEXY TV STARS
WHAT'S NEW IN BIRTH CONTROL
SIZZLING SWIMSUITS
Libération
The secrets of the Page
L'Echo des Savanes
NUMÉRO ENORME
SPECIAL SEA SEX & SUN
UNION
LES JEUX DU PLAISIR
LES SECRETS DU DESIR
CADEAU!
PHOTO
UN NUMÉRO DOCUMENT
SPECIAL URSS

GLACES "33" export
P.M.U.
"33" expor
CREPES
VIDÉO
PROJECTION EN CABI
APHRODISIAQUES
VIDEO
VENTE
LOCATION
ECHANGE

SEX
ACHINE
Shop
Le Co
FINS
Le
CHAR
poupées

OUVERT
JUSQ
CABARET
NIGHT CLUB
MUSIC HALL
NEW LOOK
PARIS
OPERA
Paris-Opéra

LES JOURS
A L'AUBE

HOTOS . AFFICHES
DE CINEMA
VENTE
ACHAT
ECHANGE
THE 1976 LOS ANGELES
INTERNATIONAL FILM EXPOSITION
MARCH 21-APRIL 4
PLITT CENTURY PLAZA THEATRES
ABC ENTERTAINMENT CENTER
CENTURY CITY

EUNE

COIFFEUR
MIEL
toutes fleurs
kg 30F
525 DMK 75

Pharmacie

D'OR
PLAT DU JOUR
SANDWICHS

cfp

LA BOVIDA

JAPAN AIR LINES

D'UNION
UNION

パリ＋（パリプラス）

著者　森山大道

2013年9月10日　初版発行

発行者　神林 豊
発行所　月曜社
〒182-0006 東京都調布市西つつじヶ丘4-47-3
電話 03-3936-0615（営業） 042-481-2557（編集）
http://getsuyosha.jp/

デザイン　町口 覚

PD　高柳 昇（東京印書館）

印刷・製本　株式会社東京印書館

ISBN978-4-86503-006-8